GEBOEID DOOR LIEFDE

GEERTRUI DAEM

GEBOEID DOOR LIEFDE
(geen vader voor Elizabeth)

Icarus, Antwerpen
Prometheus, Amsterdam

Omslag: Carine Cuypers
Vormgeving: Johan Buijs

©1996 Icarus, een imprint van Standaard Uitgeverij n.v.,
Belgiëlei 147a, 2018 Antwerpen
Voor Nederland: Uitgeverij Prometheus, Amsterdam

Wettelijk depot: D/1996/0034/408
ISBN 90 02 20496 5 (België)
ISBN 90 5333 502 1 (Nederland)
CIP
NUGI 300

'En eet ge wel goed?... Of ge wel goed eet?'

'Jaja.'

Maria schreeuwde aan de telefoon. Altijd en zonder reden.

'Ge moet nog veel complimenten hebben van uw mama. Ze peinst veel aan u. En als ge met Sinksen komt, zegt ze, heeft ze een schoon cadeau voor u, iets dat ge goed kunt gebruiken. En natuurlijk ook veel groeten van Wilfried. 'k Mag er weer mee naar buiten nu zijn bronchitis helegans genezen is. Tegenwoordig leest hij alléén in de gazet! Ferm, hé? En ge moet niet denken dat er ietske in de wereld gebeurt dat hem ontgaat...'

'Jaja. Doet ze de groeten terug. Dag Bomma, salu.'

Elizabeth gooide de hoorn op de haak.

'Yves! Vanaf vandaag zijt gij ook altíjd en voor iederéén thuis, ventje!' riep ze giftig naar de dichtstbijzijnde kamerdeur en bonkte er nog eens op voor ze de trap opstoof. Ze had nochtans gedacht, bijna gevóéld dat het Kurt was die haar belde.

Elizabeth woonde op de tweede verdieping in wat hier een studio werd genoemd. Een door middel van triplex in tweeën verdeelde kamer, met bijgevolg slechts een half raam. Een groot, statig half raam dat tot aan het hoge, met stucwerk versierde plafond reikte, zodat het er redelijk klaar was. Maar een half raam kan niet open. Daarom had de kotbaas nog voor het begin van het nieuwe academiejaar in elk half venster van iedere studio een kleine ventilator laten aanbrengen. Sommige studenten gingen immers uitgebreid kokkerellen op hun éne kookplaat, of ze lieten rustig de volledige inhoud van de hen ter beschikking gestelde elektrische waterkoker verdampen, zodat de tussenmuur langzaam kromtrok.

Elizabeth deelde haar kamer met Marianne. Een kalf, een maoïstische trut, een aangeklede houten kapstok, een blokbeest met twee brillen dat meende de wijsheid in pacht te hebben.

Als man zou ze nòg niet aantrekkelijk zijn geweest, vond Elizabeth, ook al zat ze al in de tweede licentie en had ze geld zat. Mariannes bedoelingen waren, volgens Elizabeth, niet zuiver op de graat. Voor het geld hoefde ze haar kot met niemand te delen. Ze wilde Elizabeth op alle mogelijke – maar vooral onmogelijke – manieren voor zich èn voor haar zaak winnen. Elizabeth, kind van de arbeidende klasse, jonge vrouw die voortstudeerde en in eigen onderhoud moest voorzien door in taverne De Prof onafgebroken spaghetti's, croque-monsieurs en bier te serveren aan maatschappelijk beter gesitueerde en daardoor vaak minder gemotiveerde studenten. Ze was dapper, doortastend en daarenboven nog mooi ook, zo vond haar plompe, bijziende kamergenote. Gelukkig zagen ze elkaar niet dikwijls. Marianne zat in de les, de bibliotheek, de vergaderingen, of ze stond bij de fabriekspoort voor dag en dauw zelfgemaakte pamfletten uit te delen. Ze zat geregeld urenlang in een of ander volks café te studeren aan een van de tafeltjes, met een cola of een koffie, alsof haar leven ervan afhing.

'Ik heb beweging en geroezemoes rond mij nodig om mij te kunnen concentreren en om optimaal te presteren', zei ze op altijd dezelfde manier, met dezelfde buiging en nadruk en identiek dezelfde verrassing in haar vreemd ingehouden stem. Alsof ze met dichtgeknepen neus sprak. Zo zag haar smalle neus er ook uit. 's Nachts snurkte ze. Misschien had ze grote poliepen. Gewoonlijk sliep ze al als Elizabeth thuiskwam. Soms deed ze alsof, dan snurkte ze niet en voelde Elizabeth zich bespied.

De twee bedden stonden zo ver als mogelijk uit elkaar. Achter de open deur van de kleerkast – die ook als proviandruimte en keukenkast dienstdeed – kon Elizabeth zich bij het schijnsel van de straatverlichting door het overgordijn met een zekere privacy aan het wasbakje wassen en omkleden.

* * *

7

Elizabeth glipte haar kamer binnen en draaide de deur op slot.

Het was al over elven. Ze was te lang blijven liggen, fantaseren en prakkiseren in bed. Gisteren had ze Kurt van Acker voor het eerst ontmoet. Om hem had ze zich op het laatste nippertje aan de Gentse universiteit laten inschrijven. Kurt was nooit het café van haar moeder binnengekomen, maar ze had hem vaak zien voorbijlopen. Hij had iets, dat vond ze al langer, en ze wilde hem beter leren kennen. En waarom dan niet in Gent?
Ze was aan het academiejaar begonnen zonder zich te realiseren dat de faculteit geneeskunde een eind buiten de stad lag en dat duizenden naam- en gezichtsloze studenten rondhingen in bars en cafés, zodat de kans hem tegen het lijf te lopen in wezen miniem was.

Toch was het gebeurd! Onverwachts. Door het lot samengebracht. Slechts een beetje een handje geholpen door Elizabeth. Een goed teken, vond ze. Misschien had hij vruchteloos geprobeerd haar te telefoneren terwijl Bomma haar aan het lijntje hield? Haar voorgevoelens kwamen meestal uit.

Tien voor halftwaalf.

Koortsachtig zocht ze in haar privé-lade, tussen sokken, panty's en slips naar het doosje met de tampons.

Om precies halftwaalf moest ze beginnen te werken. De ongeduldigste klanten zouden hun bestelling al door Léon willen laten noteren en daar had hij een hekel aan. Patron Léon wilde alleen tappen en tellen; waarvoor had hij anders personeel, als hij zelf gedurig achter zijn tapkast vandaan moest?

Elizabeth vloekte zachtjes. Misschien had Marianne aan haar Tampax gezeten. Stel dat ze zonder haar eeuwige pampers was gevallen, dan kon de schrik voor 'klontervorming in de baarmoeder' wel eens op slag verdwenen zijn bij het vooruitzicht op 'vlekvorming in de broek', dacht Elizabeth kwaad. Net toen ze wilde gaan schelden, vond ze onder in de lade een gedeukt doosje met welgeteld twee hulsjes. Gered. Voorlopig toch.

Druipnat van de regen kwam Elizabeth De Prof binnen en glimlachte naar het norse gezicht van Léon. Ostentatief reikte hij haar over de kassa heen enkele bestelbonnetjes aan.
'Merci, patron.'
Hij bleef de bonnen treiterig vasthouden en draaide zijn ogen betekenisvol naar de wachtende klanten.

'Meiske meiske toch', bromde hij.

'Ja?' Met haar vrije hand knoopte Elizabeth haar natte jas los en keek kritisch naar de rossige uiteinden van zijn protserig opgedraaide snor. 'U zei?'

Eindelijk liet hij de briefjes los en zuchtte. 'Dat begint hier al goed...'

'Beginnen?'

Bijna zes lange maanden was ze hier 's middags èn 's avonds aan het werk. Met meer kennis van zaken dan die omhooggevallen zuipstraal, met zijn belachelijke paardenstaartje. Altijd correct. Nooit een steek laten vallen. Altijd op tijd. Tot vandaag. En dan nog met een grondige reden.

'Wat bedoelt ge, beginnen? Hoe lang is uw vorige serveuse hier gebleven misschien?'

Ze wist het precies. Twee maanden. Dáárvoor welgeteld veertien dagen. 'En zeggen dat het niet eens uitzonderlijk was.' De patron had er meer dan genoeg over geklaagd hoe 'dom, lelijk en lomp' ze allemaal waren, en dat ze stuk voor stuk pikten als de raven terwijl hij erbij stond. Daarom bediende alleen hij de kassa en moest het wisselgeld éérst door zijn met goud beringde hand. Vroeger was hij bijlange niet zo, beweerde hij, met personeel werken had hem zo gemaakt. Hijzelf had het liever anders gewild, maar zijn vertrouwen, zijn geloof in de-mens-als-dusdanig was verwoest, zei hij. Elizabeth mocht het dan ook niet persoonlijk opvatten wanneer hij haar het beheer van de kas bleef weigeren, want 't was haar schuld niet, zij was een goeie. Zijn eerste en enige goed meiske. En dan had hij het niet eens over de jongens gehad...

'Elizabetjen, ge moet dat toch zo niet oppakken. Allez toe, meiske.' Hij toonde weer zijn geijkt joviale glimlach.

'Ge denkt toch niet dat ik hier ga doctoreren zeker!' beet Elizabeth en ze liep naar de keuken waar een reeks borden vol spaghetti stond te dampen.

Ze kokhalsde. Vroeger had ze dat nooit gehad. In deze keuken was haar voor de eerste keer opgevallen hoe zuur bolognaisesaus rook, zoals braaksel. Die indruk was dag na dag versterkt en sinds enkele weken kokhalsde ze telkens als ze 's middags de keuken betrad, ook wanneer ze niet nuchter was. Dat was gewoon geworden. Ze schonk er geen aandacht aan, bond haar schortje voor en begon de bestellingen te sorteren.

Jef, de graatmagere kok die door Léon met 'nonkel' werd aangesproken, stond naast de sauspot brood voor de croques te beleggen. Door haar braakgeluidjes kreeg hij Elizabeth in de gaten, en riep over zijn schouder: 'Hoeveel?'

'Drie mèt (spaghettisaus), een gewone en twee Hawaienne. En óók goeiemiddag.' De ijzers waren al warm. Elizabeth nam de eerste vier spaghetti's mee. De borden waren gloeiend heet geworden. Toch liep ze – het eten in perfecte balans op haar pijnlijke armen – eerst nog naar de toog. 'Voor moest ge't niet verstaan hebben, Léon,' lachte ze op zijn manier, zonder plezier, 'ik blijf hier niet tot mijn menopauze.' Ze bracht het gevraagde naar de tafels, groette enkele bekende gezichten en rekende met iedereen afzonderlijk, 'op vraag van de patron', onmiddellijk af. Het klonk vandaag luider dan anders, zelfs een beetje sarcastisch, meende Léon op te merken.

Elizabeth overhandigde hem met zwier de afrekeningen. 'Alstublieft, patron.' – Terwijl hij er op stond dat zij 'Léon' zei.

'Ge moet niet zo jagen, meiske', gromde hij gemoedelijk en hij sloeg zijn zware kassa aan, alsof het een orgel was waaruit alleen hij muziek kreeg. 'Goesting in een portooke?'

'...'

'...Of iets anders?' lachte hij naar haar. Zijn zonnelampbruine gezicht trok vol rimpeltjes terwijl hij haar het kasticket en het wisselgeld gaf.

Elizabeth draaide sierlijk om haar as, terug naar haar werkterrein. Hij zou haar niet hebben. Ze dronk nooit, dat wist hij. Behalve gisteravond, toen Kurt hier was, toen had ze op hun weerzien en zijn kosten enkele glaasjes gedronken. 'Zo'n toffe gast! Hoe hebt ge die leren kennen?' had Léon gepolst, terwijl Kurt even naar het toilet was.

'Da's gewoon een gebuur van mij', had Elizabeth geantwoord, alsof ze er zo honderden had rondlopen.

Kurt zou zéker terugkomen, had hij gezegd, want 't was hier effectief lekkere spaghetti – met veel vlees in de saus – maar surtout de service was hem bevallen. Hij had heel lief naar haar gelachen en zich voor het oog van alle aanwezigen gedragen alsof hij haar heel goed kende, ook voor het meisje dat samen met hem was komen eten. Een rijkeluis, met tasje en schoentjes van hetzelfde design, die een beetje in haar spaghetti plukte en gedurig achter haar hand zat te geeuwen.

Het meisje had de laatste tram genomen. 'Ge weet mij dus te vinden, hé?' had Elizabeth Kurt toegelachen. Voor hij wegging had ze hem haar adres en telefoonnummer op een bierviltje toegeschoven; zo werd haar uitnodiging minder vrijblijvend.

Elizabeth verwachtte Kurt vanmiddag nog wel niet, maar ze keek toch telkens hoopvol op als de deur van De Prof openging. Het was erg druk vandaag. Meestal op vrijdag. Veel studenten gingen dan met hun vuile was naar huis. Kurt ging om de veertien dagen, had hij haar gezegd. Maar was hij vorig weekend geweest, of vertrok hij vandaag? 'Zeven jaar! En dan moet alles nog vlot verlopen,' had hij gezucht, 'zeven! Weet ge wel wat dat is? Zeven jaar blokken en leven lijk een monnik! Alleen om de praktijk van uw vader te mogen overnemen, ze zouden 't eens aan de zoon van een kruidenier moeten vragen. Voor dokter studeren, da's precies goed om ziek te worden.' Dat had ze grappig gevonden. Léon was gremellachend begonnen over monniken in bepaalde kloosters, met wie hij best zou willen ruilen als al die pikante verhalen waar waren. Ha nee zeker... Zijn hand had de gouden ketting met het medaillon rond zijn hals regelmatig beroerd. Hij kon het niet laten. De vette os. Geen ogenblik had hij haar samen met Kurt gegund.

De grootste drukte was stilaan geluwd. Gewoonlijk at Elizabeth een boterhammetje met wat er voorhanden was: kaas, ham of ananas, en gebruikte ze de twee consumpties waarop ze recht had.

'Mijn twee koffies, patron!' riep ze alsof ze zelf een ongeduldige klant was, en knoopte routineus het voorschootje los.

'Alletwee tegelijk, meiske?' vroeg Léon, die de punten van zijn snor verwoed hogerop draaide.

'Juist, jongen!' riep Elizabeth verrukt, omdat hij zo'n ingewikkelde opdracht zo snel begreep. Plots moest ze lachen, klaterend luid. Om zichzelf maar vooral

om hem, hoe hij daar stond, met zijn snor, paarden-
staart en sérieux.

Toen kwam Marianne binnen, in doorweekte parka.
Natte slierten haar plakten tegen haar voorhoofd en
schedel. Haar ogen waren achter de bedoomde bril
niet te ontwaren. Ze keek rond, haar hoofd in haar
nek, als een blinde op zoek naar een zitplaats.

Marianne kwam bijna nooit in De Prof. Ze had wel
eens tijdens het middagpiekuur met een koffie achter een boek weggedoken tussen lawaaierige eters
gezeten. Zelf had ze niets gegeten en slechts af en
toe, met afwezige blik, van haar boek opgekeken naar
haar vriendin.

Hoe handig en vlot Elizabeth tussen de tafels laveerde!
Hoe gracieus ze zich bewoog, met volle borden en
zware dienbladen hoog boven de voorovergebogen
eters verheven! Hoe ze, nadat ze geld en rekening
van het tafeltje had genomen, met een glijdende beweging de blonde krullen naar achteren schudde,
waardoor haar fijn profiel en slanke hals weer vrij-
kwamen.

Marianne had de bladen van haar boek automatisch
omgeslagen, zonder dat het gelezene tot haar was
doorgedrongen.

Het had haar toegeschenen of ze – Elizabeth van op
een afstand onopvallend bekijkend, soms een blik
van herkenning of een glimlach van haar ontvan-

gend – zich dichter tot haar vriendin genaderd wist dan thuis, op hun kamertje. In de prozaïsche drukte van dit café zag alleen zij hoe uitzonderlijk Elizabeth was. Alle anderen waren gebiologeerd door wat op hun bord of op dat van hun buurman lag. Hóe dat daar kwam, de onderliggende energie, de dialectiek ervan, dat interesseerde hen niet. En dat Marianne niets om te eten gevraagd had, was zuiver uit oprechte solidariteit met de werkende Elizabeth geweest. Niet omdat zij geen honger had.

Marianne schoof houterig in een van de met fluweel beklede banken en nam haar bril af. Elizabeth, die staand bij de toog haar eerste koffie dronk, zag hoe bedrukt zij eruitzag. Alsof ze geschreid had, leek het. Marianne droogde haar bril met een zakdoek. Ze keek schichtig, met kleingeknepen oogjes Elizabeths richting uit. Die liet haar schort op de barkruk achter, nam haar koffie en liep nieuwsgierig op Marianne toe.
'Elizabeth...?' aarzelde Marianne, net of ze Elizabeth, die in haar volle lengte voor haar stond, nog niet herkende. Haar ogen stonden tot de randen vol water.
'Wat is er gebeurd?' Elizabeth ging bij haar zitten.
Bruusk stootte Marianne de bril weer op haar neus. Ze keek in de zakdoek. Begon hem te vouwen. Nog eens, en nog eens, met trillende handen.

'Wat scheelt er?'

Ze zei niets.

Marianne die geschreid had! Misschien was er iets met de partij? Misschien had ze de K(ritiek) of ZK(zelfkritiek) van de laatste celvergadering niet ernstig genomen? Of verraad gepleegd aan de arbeidende klasse? Was ze uit de partij gegooid!?

'Zegt dan toch iets!'

Marianne zocht haar stem. Zocht bruikbare woorden.

'...Slecht nieuws...' bracht ze eindelijk uit. Ze legde haar beide handen beschermend over de kleingevouwen zakdoek voor zich op tafel en keek naar Elizabeth. Aan de binnenkant waren haar brillenglazen weer nat geworden.

'...Mijn moeder... ze is geopereerd... aan haar borst...' Ze snikte. ''t Is kanker.'

Elizabeth schrok. Ze wist niet wat ze daarop kon zeggen.

Marianne bleef haar aankijken, vragend.

'Een koffietje?'

Elizabeth liep om haar tweede gratis consumptie die nog op de toog stond.

'Ludde vu du, zeker?' fluisterde Léon met een zeemzoet meelijdend gezicht. Als hij meisjes wist schreien was 't altijd om een jongen, of om meerdere jongens.

Elizabeth keurde zijn stupiditeit zelfs geen afkeurende blik waard. Ze bracht de koffie naar haar vriendin en wachtte.

Langzaam nam Marianne het suikerklontje uit z'n papiertje, legde het op het lepeltje en liet bedachtzaam de suiker in de koffie zakken, bruin worden, oplossen. Pas toen de suiker geheel was verdwenen, schokte Mariannes borst van al het ingehouden verdriet.

'Allez toe...' fluisterde Elizabeth zachtjes.

Daarop begon Marianne driftig in haar kopje te roeren. Ze durfde niet meer opkijken. Niets te zeggen, niet te drinken, niet te denken.

De stilte was bijna niet meer te hanteren.

'Ik wist niet dat ze ziek was', hielp Elizabeth en ze zuchtte: ''t Is wreed.'

'Ik ook niet! Ik wist het ook niet! Ze wist het zelf niet! Niemand wist ervan!' Marianne sprak ineens ongewoon fel. Alsof ze in de verdediging ging, of in de aanval. 'Tot voor drie weken wist niemand van iets! We hebben er thuis nog mee gelachen. Ze was van haar zelven gevallen terwijl ze 't bad aan 't uitschuren was met allemaal verschillende producten, achter 't gat van ons poetsvrouw, want die laat altijd lelijke strepen achter op de galvanisé, zegt ze. En ze wordt daar gepakt door de ammoniak en zo van alles in die kuismiddelen. Ons jongste komt van school en vindt haar naast het bad. Paniek natuurlijk...'

De te lang binnengehouden woorden konden niet rap genoeg uit Mariannes mond zijn. Ze struikelde erover, vergaloppeerde zich en verklapte wat ze altijd had verzwegen – dat ze bij haar thuis als èchte bourgeois een kuisvrouw verknechtten! Ze kwam adem tekort voor haar razende vaart.

'... en bij de spoedopname zien ze daar iets verdachts aan haar borst. Ochot, dat heb ik alzeleven, zegt ze, als ik mij daarmee moest generen. Maar ze zeggen dat het niet normaal is, en of ze die pijn in haar linkerarm dan ook al lang heeft, en of er soms méér kankergevallen in de familie zijn, en dat ze ermee in observatie moet, zo rap mogelijk...'

Marianne tastte in de zak van haar natte parka en trok er een telegram en een brief uit. 'Het stak in de bus... terwijl ik niet eens wist dat ze naar het ziekenhuis was!'

Elizabeth zag in schuine letters 't.a.v. Mej. Elizabeth De Sutter' op de ongeopende envelop staan die Marianne achteloos naast zich op tafel had gelegd.

'Mama geopereerd. Ernstig ziek. Komen. Papa', las Marianne moeilijk voor. In stilte herlas ze de woorden van het telegram opnieuw en opnieuw, om te controleren of het geen vergissing was in haar hoofd of bij de regie der post.

Zou dat een brief van Kurt zijn? dacht Elizabeth terwijl ze naar het verzorgde, regelmatige handschrift op het briefomslag bleef kijken.

'Is dat soms voor mij?' vroeg ze tussen neus en lippen.

Marianne bleef verdiept in het onheilspellende bericht. Daarom reikte Elizabeth voorzichtig met haar vingertoppen over het tafelblad heen om de brief onopgemerkt naar zich toe te schuiven. 'Kurt van Acker' las ze op de keerzijde. Even duizelde het haar van blijde verwachting.

'Marianneke, drink nu eerst uw koffie', zei ze kordaat.

Marianne dronk van het kopje.

'En straks gaat ge naar huis. Dan weet ge al meer. Misschien zit ge hier voor niets te panikeren? Een borst is tenslotte geen vitaal orgaan, ge kunt gerust zonder. En tegenwoordig kunnen ze al veel doen, de specialisten. De geneeskunde gaat gedurig vooruit!' Terwijl ze 'geneeskunde' zei, kwam Kurts knappe gezicht haar ongewild weer voor ogen, zodat ze de aandrang om een warm pleidooi te houden voor de duizelingwekkende vooruitgang van deze wetenschap slechts met moeite kon beheersen.

'Ge moet vertrouwen hebben, Marianne.' Meelevend keek Elizabeth haar triestige vriendin aan en streelde de scherpe rand van zijn briefomslag.

'Ik méén het. Neem nu mijn vader', zei ze grootmoedig. Ze zou, als tegenprestatie, Marianne ook iets intiems dat misschien nog pijnlijker lag, vertellen.

''t Is te zeggen, mijn stiefvader, veel verschil maakt dat niet – 'k zal u dat later allemaal wel eens uitleggen – die man hebben ze meer dan tien jaar geleden na zijn zwaar accident zo goed als afgeschreven. Doodverklaard. En wat hoor ik vanmorgen? Dat hij alleen, op zijn gemak, de gazet leest! Alstublieft!'

Marianne had het niet begrepen, of ze had niet geluisterd, of ze geloofde het niet.

'Hoort ge't?! Hij léést! Dat is gewoon onvoorstelbaar! Als hij vroeger al eens iets las was dat hooguit het advertentieblad. Vandaag leest hij de krant, en morgen misschien heelder boeken! En waardoor? Door dat "ongeluk". Het gebeurt toch meer dat een dramatische gebeurtenis het leven van een mens ten goede verandert?! Dat er tot dan toe ongekende krachten naar boven komen.' Ze had het niet eens uit een van haar cursussen psychologie, maar het had er kùnnen staan, zwart op wit.

Hiermee had Elizabeth Marianne zichtbaar uit haar lethargie geholpen.

'Allez, ik moet ú toch niets meer leren over dialectiek, zeker', voegde Elizabeth er wat plagerig aan toe, en glimlachte. Marianne glimlachte, hoewel nog flauwtjes, terug.

'Ge hebt gelijk... En ge zijt lief.'

Onwennig schoof ze uit de bank en vertrok naar huis, de geplande bijeenkomst met de Marxistisch-Leninistische Beweging vergetend.

'Ben ik blij dat ik geen borsten heb, ja!' verzuchtte Léon. Marianne was nog niet eens uit het gezichtsveld verdwenen. Hij had weer staan luistervinken natuurlijk.

'Wilt ge't geloven!' benadrukte hij ernstig, alsof hij, als man, iemand daarvan probeerde te overtuigen.

'Wat ge niet hebt kunt ge altijd nog krijgen', schamperde Elizabeth. En of ze daarmee borsten of kanker bedoelde maakte hem evenredig onzeker.

'Ge hoort tegenwoordig toch niets anders. Borstkanker van hier en van daar en van ginder. In Amerika laten sommige vrouwen zelfs al op voorhand hun borsten afzetten, gelijk de Amazones, tegen de kanker.'

'Als ge niet leeft, kunt ge niet sterven', riep Elizabeth over haar schouder, terwijl ze de deur naar de wc openstak om de laatste Tampax te gebruiken en eindelijk Kurts brief te lezen.

* * *

Fris gewassen en met bestudeerd nonchalant opgestoken krullen zat Elizabeth op haar bed te wachten. Ze had Kurts brief op het plankje boven het bed,

22

tegen de grootste van de twee opgeblonken schedels geplaatst. De kleinste had ze van Mariannes boe-
kenplankje weggenomen; ze was toch niet hier en
had hem slechts in bruikleen.

Om tien uur zou Kurt Elizabeth komen halen; dan
zouden ze naar de fuif in de zaal achter Het Schuurke
gaan als zij daar zin in had, had hij geschreven.

Elizabeth hield niet van dansen, maar ze hield van
hèm, en ze moest ergens beginnen. Ze had snel een
fles port uit De Prof meegenomen en het kot aan
kant gedaan. Zo had ze alles geregeld, voorzien en
onder controle.

Toch zat ze hier naar het enerverende tikken van
Mariannes reiswekker te luisteren alsof het verdere
verloop van haar leven ervan afhing. Ze sloeg haar
ene been ongedurig over het andere. Gelijk in de
wachtkamer van de dokter, dacht ze.

Haar vroegere afspraakjes met andere jongens was
ze meestal niet nagekomen of gewoon vergeten.

Ze zat hier gespannen, onzeker van zichzelf en ze
wist niet waarom. Daar werd ze wrevelig van.

Het was pas twee over tien en ze werd bang.

De Sutter, riep ze zichzelf tot de orde, één man be-
paalt uw leven toch niet!

In de hoop dat het overging liep ze naar de tafel,
ontkurkte de fles en dronk een slokje, terwijl ze –
één en al oor – bleef luisteren of de bel misschien

ging. Eenmaal lang, tweemaal kort. Als hij 't maar vindt, ergens onder aan de lange batterij bellen. Kom Sutter, Kurt is geen rund!

Als bij een ontploffing schrok ze op van het eerste gerinkel.

Ze stormde naar de deur, liep terug om de stop op de fles te duwen, overschouwde de kamer, nam nog snel zijn brief weg – omdat hij er al te duidelijk geëxposeerd stond – om hem op tafel achter te laten, en liep uiteindelijk met zelfopgelegde, strikte regelmaat de hoge trap af.

'Dag Eliza', zei hij, zoals wegens plaatsgebrek naast de bel stond.

'Dag meneer Van Acker.'

'Ge hebt mijn schrijven toch in goede orde ontvangen, neem ik aan?'

Ze hadden zich handig een vrolijk afstandelijk toontje aangemeten.

'Inderdaad, komt u binnen.'

Hij liep vlotjes achter haar aan de trap op.

''t Is wel een schoon huis', zei hij, onder de indruk van de trapzaal en de fraaigekrulde gietijzeren radiators van de centrale verwarming die het al lang niet meer deed.

'Geweest, ja, vóór de studentenkoten. Hier is 't. Treedt u binnen?'

Ze hield de deur plechtstatig voor hem open.

'Tof zeg', zei hij toen hij de gehalveerde kamer zag.
Het was niet duidelijk of hij het meende.

'Nogal klein, maar het gaat.'

'Zijn die schedels van u?'

'Yep!' zei ze vergenoegd bij het vooruitzicht hem te kunnen verrassen wanneer ze dat wilde met de doodskop die hij 't mooiste zou vinden, omdat ze die al lang voor hem bewaarde.

'Tof zeg!' Deze keer meende hij het duidelijk.

Hij repte zich naar het plankje om de schedels van heel dichtbij te bekijken, voorzichtig aan te raken, te draaien en te keren om ze telkens bij een andere licht-inval te beoordelen.

'Wilt ge een porto?'

'Graag', zei hij en trok zonder z'n ogen van de sche-dels te houden zijn jasje uit. 'Hoe zijt ge daaraan geraakt!'

'Ha! Ik heb zo mijn connecties, hé maat', zei ze ge-heimzinnig en schonk twee glazen vol port.

'Ze komen van 't oud kerkhof over ons deur. Meer mag ik daarover niet kwijt.'

Voorzichtig nam hij het kleinste kopje en stak het hoog boven z'n hoofd, keek aandachtig door de oogholten, streek met twee vingers over het kaaks-been. Onderwijl floot hij bijna onhoorbaar tussen zijn tanden. Voor Elizabeth had hij geen oog meer.

'Da's van een vrouw, wel negentig jaar oud. De grote

is een vent van nog geen dertig', vond Elizabeth ter plekke uit. Geen reactie. 'Tenminste, zo oud waren ze toen ze stierven. Hoe lang ze ondertussen al dood zijn weet ik niet.'

Kurt scheen haar niet te horen. Zonder haar ongerijmde uitleg te weerleggen nam hij bijna cerebraal de grote schedel en deed er precies hetzelfde mee. Elizabeth reikte hem een goedgevuld glas aan. Hij merkte het niet, bleef gefascineerd de schedels manipuleren, naar elkaar toe en van elkaar weg op het plankje. Elizabeth voelde zich kregelig worden.

'Is 't familie?' vroeg hij plots.

Hij méénde het!

'Ze trekken alleszins toch goed op mekaar', smaalde Elizabeth en ze barstte in lachen uit.

Pas nu keek hij op naar haar nog levende hoofd en zag hoe ze hem met gestrekte arm een glas klotsende drank voorhield.

'Santé, necrofiel!' klonk ze met hem. Vreemd dat ze nu geen zin meer had hem zomaar een van de hoofden te geven; zo'n cadeau moet hij waard zijn, dat moet hij verdienen, dacht ze.

'Op ons weerzien, Lisa', glimlachte hij, haar flauwe opmerking negerend. Hij had zin om met Elizabeth te vrijen, maar om daar zomaar direct aan te beginnen, daar had hij toch niet genoeg handeling naar. Gisteravond zou het zonder omwegen gelukt zijn, als hij niet zo van de plank was geweest. Nu had hij weer een beetje schrik van haar. Terecht. Ze was niet alleen in hun achterlijke gemeente veelbesproken en felbegeerd, zelfs hier in de provinciale hoofdstad deed ze het stof opwaaien. Wat hij van alle sterke verhalen die over haar de ronde deden kon geloven, wist hij niet. Zeker was dat ze al heel wat watertjes had doorzwommen, terwijl hij nog maar pas met pootjebaden was begonnen.

Thuis hadden zijn ouders hem strikt verboden om naar café 't Heilig Kasseiken te gaan. Volgens hen zat daar 'de soep', een mengsel van alcoliekers, gedrogeerden, OCMW'ers, incestplegers, buitenechtelijken en gewone onderontwikkelden. Mede daardoor had Elizabeth hem indertijd al bovenmatig geïntrigeerd. Toch had hij het lef niet gehad haar slechts even aan te kijken wanneer ze elkaar hoogst toevallig een keertje op straat passeerden. De wilde dingen die hij 's nachts in z'n dromen met haar deed waren zijn onbewuste revanche geweest.

Hij had gehoord dat 'die bastaard van Claire van Maria van 't Heilig Kasseiken, nu ook al naar Gent was getrokken om daar zogezegd aan de universiteit te gaan studeren, voor 'spigologie' lachte de goegemeente, Maria imiterend.

Door de verhalen over een veelbesproken griet die in De Prof werkte, was hij ten slotte het verband beginnen te leggen tussen haar en Elizabeth: 'die gaat nooit naar de les maar geilt alle proffen op', 'een echte kwaliteitsmatras', 'die haalt haar grote onderscheiding plat op haar rug', 'beentjes open en mondje toe'. Dat soort praat.

Gisteravond had hij, na een flink aantal pinten, ruzie gemaakt met Christine – het boterde al een tijd niet meer zo goed – omdat hij resoluut De Prof wilde binnenstappen om zich ervan te vergewissen dat het wel degelijk om Elizabeth ging, en om haar voor het eerst onbevangen in de ogen te kijken. Christine was verdomd nog met hem mee opgetrokken omdat hij 'ergens zichzelf niet helemaal was' zei ze, omdat ze 'onze relatie nuchter verder wilde uitdiepen'. Hij daarentegen had zich zelden totaler zichzelf gevoeld. Dat had ze pas gemerkt nadat hij Elizabeth ononderbroken had toegelachen en openlijk bejubeld, en ze was opgekrast. Toen had Elizabeth hem haar adres gegeven. Direct prijs! Zo gaat dat soms in het leven. De ene vrouw gaat en de andere staat al klaar. Wat een verbetering, in dit geval! Elizabeth! Ze wilde hèm, ook al was hij géén prof en had hij géén diploma. Al die roddel kwam blijkbaar toch van een leger afgewezen en jaloerse nijdigaards.

Wàt er gisteravond precies gezegd of gebeurd was, herinnerde hij zich niet meer zo exact, wèl dat hij op 't eind nog amper op zijn benen kon staan, anders zou hij niet vóór haar weggegaan zijn, dan was hij ongetwijfeld al met haar gaan slapen.

* * *

Samen stonden ze tegen de tafel geleund, glas in de hand. Kurt kon haar parfum ruiken.

''k Zie dat ge niet de gewoonte hebt om alléén te slapen', glimlachte hij dubbelzinnig naar het tweede bed.

'Da's van Marianne. Ze is naar huis.' Dan, met een aarzeling: 'Haar moeder heeft kanker.'

'Jeezes! Terminaal?'

''k Weet niet. Marianne vreest van wel.'

Dat gaat hier de verkeerde kant op, dacht hij.

'Laat ons hopen van niet', zei hij snel bijsturend. 'En hebt ge 't kot nu voor u alleen?'

'Meestal in het weekend.'

'Haha... da's interessant! Of tenminste, dat kàn interessant zijn!' zei Kurt, gespeeld stoer, en hij glimlachte naar haar op dezelfde manier als gisteravond. Hij had haar binnen handbereik. Ze giechelde. 't Is nu of 't is nooit, dacht hij. Had Elizabeth hem niet geïnviteerd, binnengelaten, drank gegeven en zopas om zijn doorzichtig grapje aanlokkelijk gelachen? Hij dronk langzaam zijn glas leeg, zette het op tafel, nam haar hoofd in zijn handen en kuste haar met volle overtuigingskracht. Nadat ze, tastend, haar glas had weggezet beantwoordde ze zijn kus met langzaam maar zeker groeiende hartstocht. Ze moesten er even van op adem komen.

Kurt begon, met een smakje, te fluisteren 'dat het al bézig was interessant te worden', terwijl hij het bovenste knoopje van haar jurk losmaakte. Afwisselend opende hij telkens een knoopje en streelde een van haar borsten, nog een knoopje, de andere borst... 'Drie... vier...' telde hij erbij.

Is dit nu de man aan wie ik mijn maagdelijkheid wil schenken? dacht Elizabeth. Ze voelde hoe hard haar tepels door de stof van haar jurk priemden. Kurt van Acker kon heel goed zoenen, vast en zeker; maar toch was ze niet verteerd door verlangen, zoals ze zich dat had voorgesteld. Wàt had ze dan verwacht dat hij zou doen? Dat hij dingen zou doen of zeggen die haar in de ban zouden houden, haar hele innerlijk overhoop gooien? Dat hij haar een nieuwe, onbekende wereld kon voortoveren waardoor hij haar op slag van de kaart bracht?

'...Acht... negen...' telde hij onbezorgd verder en likte of zoog aan haar nu vrijgekomen borsten.

Het leek alsof hij, nu hij haar tot dicht op de huid genaderd was, een groot deel van zijn aantrekkingskracht kwijt was.

Elizabeth probeerde zich hem opnieuw onbereikbaar ver, ongenaakbaar aan de overkant van de straat voor te stellen.

Ondertussen had hij haar hele jurkje opengekregen, en zijn hand gleed tussen haar benen. Hij drukte zijn harde onderbuik tegen haar heup aan, zachtjes kreunend.

''k Heb mijn maandstonden', constateerde ze plots.

'Wat geeft dat?'

Ze was het vergeten. Ze had ook niet verwacht dat er zo snel gehandeld zou worden.

'In elk geval moet éérst die tampon eruit!' riep Elizabeth vrank en ze gaf hem een onbehouwen duw tegen zijn borst, zodat hij bijna achteroverviel, tegen de kleerkast.

'Oei, sorry', lachte ze achter haar hand.

'Doet ge het dan niet graag misschien...' vroeg hij verbouwereerd, 'als ge menstrueert?'

'...'

'Ge moogt het zeggen, hoor.'

'...Bahbah...' zei ze onbestemd; terwijl ze altijd zo'n grote mond had, zich uit elke situatie heelhuids wist te redden...

Wat kon ze zeggen? Dat ze het nog nooit gedaan had? Dat ze 't slechts met hem wilde? Hij zou zich God de Vader wanen en haar een achterlijk wicht vinden. Anderzijds mocht hij niet veronderstellen dat ze een 'gemakkelijke' was, die 't met jan en alleman deed, waarop behalve de tram iedereen had gereden. Ze was zelfs bang dat, als hij zijn zin kreeg, hij haar snel zou vergeten.

'Ik ben gewoon van zelf te kiezen. Wanneer. En met wie!' zei ze met femme-du-monde-flair en schonk, borsten uitdagend vooruit, de glazen klaterend bij.

'Ziet u?' hernam ze het oorspronkelijk aangezette spottende toontje.

'Allez toe! Gij hèbt toch gekozen zeker!' zei hij eerlijk beledigd.

Hij bleef, met zijn pijnlijk geworden erectie, verslagen tegen de kastdeur naar haar lichaam staan kijken. Zo'n onbevangenheid sierde hem, vond Elizabeth.

Tenslotte kende ze geen andere jongen die haar ooit had bekoord, en het moest er toch eens van komen; het kon ook geen kwaad door haar maandstonden.

'We zouden toch gaan dansen?' fleemde ze plagerig terwijl ze, armen omhoog als een flamencodanseres, verleidelijk naar hem toe schuifelde.

'Pestkop', zei hij gekweld.

Dat hij, omdat er al bloed was, niet zou merken dat ze nog maagd was, dacht Elizabeth nog en stortte zich in zijn armen.

''k Zal hem er maar uithalen zeker?' vroeg ze zwoel, terwijl ze hem kuste, 'die tampon?'

'...Als ge daarvoor kiest', antwoordde Kurt nogal overbodig.

Hij wilde niet voor een rammende stier doorgaan, zeker niet bij Elizabeth. Hij was niet zo. Hij wist alles over typisch vrouwelijke noden als tederheid en geborgenheid, een uitgebreid voorspel bekroond door een vaginaal, desnoods clitoraal orgasme.

Elizabeth hielp hem heel doortastend uit zijn kleren.

'Is er nog veel bloed?'

'Nogal.'

'Hebt ge pijn, door de band, als ge menstrueert?' vroeg hij bloedserieus.

'Nee dokter!' Gierend van het lachen opende Elizabeth de deur van de kleerkast, terwijl Kurt op bed z'n schoenen uittrok om zijn tot op de enkels gestroopte broek uit te trekken.

'Als ge pijn hebt is 't juist goed u te laten penetreren', hoorde ze hem beweren. Ze verwijderde de tampon en wikkelde hem in een stukje keukenrol.

'Serieus. Het brengt de bloedstroom op gang,' ging hij verder, 'en de spasmen van de baarmoeder verminderen daardoor.'

'En hoe is 't met uw spasmen?!' proestte Elizabeth, die hem na het gevecht met z'n kleren erectieloos op bed zag liggen.

'Sommige vrouwen vrijen juist heel graag als ze

33

menstrueren. Ze zijn dan heter', zei ze en ze keek geringschattend naar zijn krachteloze kruis. 'Alles is hormonaal bepaald, dat moet gij toch weten?' Triomfantelijk ging ze schrijlings op hem zitten.

Daar kwam hij weer gauw van bovenop. Snel duwde ze zijn geslacht bij haar naar binnen. Het ging wat stroef maar het deed geen pijn. Integendeel, het was plezierig, opwindend zelfs.

'Breng mij in extase', fluisterde ze zachtjes.

Zo ver kwam het niet. Zonder dat ze het merkte kwam Kurt klaar.

Hij slonk in haar.

'Sorry,' zei hij, alsof hij even iets onbeleefds had gedaan, 'maar ge moet maar zo schoon niet zijn... en zo lekker...'

Hij bleef met gesloten ogen en open mond liggen.

Elizabeth bleef een beetje beteuterd zitten. Was dat nu de moeite om zo'n spel over te maken?

'Is dat alles?'

Zoiets werd in de medische wereld *ejaculatio praecox* genoemd, wist ze.

'Ik kon 't niet meer houden. Efkes pauzeren, dan beginnen we subiet opnieuw, voor goed. God, Elizabeth, ik heb het wreed te pakken van u!'

* * *

Zie mij hier nu liggen... dacht Elizabeth terwijl ze naar het hoge plafond staarde.

Kurt had pas de deur achter zich dichtgetrokken. Hij had zijn ouders beloofd voor tien uur thuis te zijn, en had zich genoodzaakt gezien zijn ochtenderectie te negeren om snel de trein te halen. Elizabeth hoorde zijn voetstappen op de trap wegechoën. Ze begon met open ogen stilletjes te schreien.

Ik ben mijn grote liefde kwijt, dacht ze pathetisch. 'Gisteren lag ik hier nog naar hem te smachten en nu ben ik bijna blij dat hij weg is. Gisteren zag ik hem nog graag en vandaag is 't al over.'

Een groot verdriet overviel haar. Ze huilde als een klein kind, radeloos om haar onverklaarbaar gemis. Een uitzinnig verdriet waarvan ze zich later niet meer zou kunnen herinneren of ze voordien ooit zoiets had ervaren.

Jarenlang had ze in stilte, ongemeen zorgzaam, dat schone gevoel voor hem gekoesterd en nu was het ineens weg, dat kon toch niet! Steeds meer moest ze huilen, alsof er nooit een eind aan zou komen. Maar toch raakten stilaan haar tranen op. Toen ze was leeggeschreid kwam er in haar hoofd opnieuw ruimte voor gedachten. Die keerden zich als vanzelf tégen Kurt. Het was niet om hem dat ze treurde, het was om haarzelf en om het geïdealiseerde beeld dat zij van hem had opgehangen; om haar verwachtingen

van de liefde en de wereld die slechts illusies bleken.
Ze voelde zich genadeloos bedot. Door hem.

Ineengekruld lag ze in bed te staren naar haar schoenen en kleren die over de vloer verspreid lagen, het
bebloede handdoekje lag aan het voeteneind.

Of hij nu naar zijn moeder loopt of naar zijn oud
lief, het kan mij niet schelen, dacht ze, voor mijn
part kan hij evengoed onder de trein lopen, dood is
hij toch al.

Dat idee sterkte haar een beetje. Ze stond traag op,
liep – wat onvast op de benen van drank en ver-
moeienis – naar het lavabootje om zich met het koele
water op te frissen.

Ze kon niet ontkennen dat Kurt zijn uiterste best niet
had gedaan. Hij had haar vakkundig gestreeld, zich
met handen en voeten uitgesloofd, op alle manieren
geneukt, haar per se willen doen klaarkomen. Dat
wilde maar niet lukken. Als het daarop aankomt, blijkt
mijn hoofdkussen toch veel efficiënter, dacht ze,
onwillekeurig grijnzend nu het water haar begon
op te knappen.

Hij was zelfs nog graag gaan dansen, om zich met
haar in het openbaar te vertonen, maar Elizabeth had
liever dat er niet te veel over hen gebabbeld werd.
Daarop was hij wéér in vuur en vlam geschoten, wat
waarschijnlijk getuigde van een grote begeerte, en
ontegensprekelijk van een onvermoeibare energie.

Hij had het pas opgegeven toen de fles port leeg was en Elizabeth zeeziek werd op het schuddende bed.

Stel dat ik nu nog altijd verliefd op hem was, dacht Elizabeth ernstig, dan zou ik constant aan hem blijven denken. Mij, zoals gisteren het geval was, ziek maken van nervositeit. Ik zou uren op hem wachten, avonden en nachten verspelen. Al die tijd waarop hij beslag zou leggen! En ik kom nu al tijd tekort voor mijn studie, mijn werk en mijn rust. Het zou niet leefbaar zijn.

Anderzijds zou een lief haar regelmatig ellende van opdringerige gasten besparen.

Maar wat kon Kurt haar méér bieden? Hoe kon hij haar leven verrijken? Haar tot een totale persoonlijkheid laten uitgroeien? Hij was pas beginnen te studeren en hij zat al te zeuren en te zuchten.

Elizabeth was er de vrouw niet naar om lang te blijven treuren of twijfelen. Ze besloot een pro- en contralijst te maken, waardoor ze objectief kon afwegen wat hij waard was, alvorens te beslissen of ze al dan niet met Kurt verder zou gaan.

Ze nam een onbeschreven cursusblad uit de dichtstbijzijnde ringmap onder haar bed vandaan, trok een verticale lijn in het midden, om aldus twee kolommen van gelijke breedte te maken, waarboven ze 'pro' en 'contra' schreef.

Zonder noemenswaardige bedenktijd noteerde ze

achtereenvolgens 'tijdrovend', 'rustrovend' pijltje 'ze-nuwen', 'slaaptekort', 'alcoholverbruik', 'weinig diep-gaand', 'geen ambitie', 'geen doorzicht', 'fils à papa', 'intelligentie?' in de tweede kolom. Ze telde zijn negatieve score en voegde er nog 'beetje stinkvoeten' aan toe. Vervolgens schreef ze 'afschrikking anderen' als aanhef van de positieve rij en 'vrijt goed', hoe-wel... 'geen climax', in de andere kolom dan weer. Toen wist ze objectief niets meer te bedenken dat in zijn voordeel pleitte. Ze zag met eigen ogen het re-sultaat en concludeerde dat het beter voor haar was dat haar verliefdheid weg was omdat ze geen grond en geen toekomst had. Als troostprijs noteerde ze 'toch wel lief'.

Zodoende had ze haar hoofd en haar hart vrij om zich zoals gewoonlijk tijdens het weekend, in de rust van het verlaten huis, te wijden aan de studie.

Elizabeth mocht dan wel als jobstudente bijna elke les verzuimen, ze studeerde meer, sneller, gerichter, uitgebreider en bovendien met meer plezier dan de gemiddelde student. Vandaag had ze er geen lol in. Ze voelde zich lusteloos, met het hoofd nog opge-zwollen van het pril ontdekte verdriet, zette wat water op in de elektrische koker, nam een kop en de pot oploskoffie uit de kleerkast. Ze kon zich niet con-centreren.

Elizabeth plaatste de kleine schedel terug op Mariannes boekenrek, verfrommelde Kurts brief met één vernietigende beweging in haar vuist, sleurde haar materiaal onder het bed vandaan, zocht de laatste aantekeningen en spreidde ze voor zich op tafel uit. Ze had nooit de gewoonte gehad dingen klakkeloos over te nemen en ze genoot van elke controverse. Alleen daarom al was het doornemen van notities van verscheidene andere studenten heel boeiend. Elizabeth maakte er haar eigen synthese van, vulde ze aan, breidde ze zelfs ongevraagd uit. Vandaag voelde ze onverschilligheid bij het zien van de hanenpoten die ze ditmaal moest zien te ontcijferen.

'Friedrich Wilhelm Nietzsche (1844-1900)' las ze boven aan de bladzijde.

* * *

Maandagmorgen. Nog voor haar middagdienst in De Prof sleepte Elizabeth àlles wat ze van en over haar ontdekking te pakken kon krijgen uit de universiteitsbibliotheek. Nietzsche was nu al haar absolute favoriet! Ze popelde van ongeduldige nieuwsgierigheid en grote opwinding.

Zijn gepassioneerde uitspraken, die ze zaterdag minutieus had overgepend, hadden haar met verpletterende mokerslagen getroffen. Hij had haar de (aan stellige overtuiging grenzende) indruk gegeven dat wat hij formuleerde al eerder door haarzélf was bedacht en doorleefd. Ze had zich daardoor minder alleen gevoeld. Hij bleek een geestverwant door wie ze zich gesterkt wist. Nietzsche. 'Nietske' noemde ze hem vertederd, in zichzelf. Vanwege hun verwantschap mocht ze hem naar analogie met zijn theorie over het nihilisme die troetelnaam geven, vond ze.

Ze was zondag alvast begonnen haar Duits bij te spijkeren, om het originele werk beter te begrijpen, hoewel de filosoof eerder zijdelings werd aangehaald en de docent zich – volgens de verslagen – laatdunkend over hem had uitgelaten.

Elizabeth wilde zich vol overgave in hem vastbijten, hem correct interpreteren, op haar eentje rehabiliteren zelfs. Haar persoonlijke innerlijke verrijking stond haar daarbij weer helder voor de geest, dankzij deze grote man. Ongehinderd door 'de kluisters van de liefde' – zoals zij met Nietzsche sprak – zou ze op zoek gaan naar de waarachtige betekenis van haar leven. Ze had nog een vol uur voor haar middagdienst begon.

* * *

'...en 'k mocht erop, moet hij gezegd hebben, 'k mocht er van de eerste keer al op. Hij kwam juist

40

van bij u, schijnt', schreeuwde Maria aan de telefoon. Luider dan gewoonlijk.

'Luistert, Bomma,' onderbrak Elizabeth haar scherp, 'die Van Acker is een blaag en interesseert mij geen bal.'

'...Ja maar, dat ge nu eens niet afgekomen zijt, Lizatjen. Ge hadt het toch halvelings beloofd...'

'Àls ik tijd had. Van als ik tijd heb, heb ik u gezegd.'

'Maar ge moet toch zien dat ge u eigen niet overdoet en dat ge goed eet en surtout genoeg slaapt...'

'Jaja.'

'En met Sinksen komt ge toch gegarandeerd zéker, hé? Weet ge dat uw mama een schoon cadeau...'

''k Weet het al. Doet ze daar de groeten en tot dan, Bomma. Saluut!'

Elizabeth gooide de hoorn op de haak en bleef, blind van woede, een ogenblik op de gang staan. De zak was al gaan zegevieren!

Het minieme beetje twijfel aan haar al dan niet nog verliefd-zijn was op slag verdwenen: haar was onrecht aangedaan.

Kordaat liep ze naar de dichtstbijzijnde kamerdeur en klopte bij de benedenbuur aan.

'Yves?'

Yves mocht wel vaker vervelende telefoons uitzweten en hield zich stil.

'Y...Yves!' Elizabeth stak haar hoofd binnen en zag

hem te midden van een onwaarschijnlijke mesthoop zitten.

'Is er geen belet?'

Yves krabbelde onwillig overeind. '...Euh... niet echt, nee...'

'Eén minuutje maar', glimlachte Elizabeth geruststellend en ze ging binnen.

'Willen wij eens neuken?' Deurklink in de hand, liet ze de deur tegenaan staan.

Ze zag hoe zijn niet onaardige gezicht uitgleed en zijn mond openviel.

'...Nu?'

'Vanmiddag, tussen vijf en zes. Oké?'

Ze hoorde alleen zijn ademhaling.

'Of tussen tien en elf vanavond als dat beter uitkomt', drong ze aan. 'Ik zal naar hier komen. Dan steekt Marianne haar neus er niet tussen. Is dat goed?'

'Ja', zei hij verbouwereerd.

'Tof', antwoordde Elizabeth. 'Wanneer past het best?'

'...Tussen vijf en zes misschien...?' aarzelde hij nog steeds ongelovig.

'Okidoki, tot straks!' Ze zwaaide nog eens naar hem en sloot stilletjes de deur achter zich. Zo. Dat zou Kurt leren. Denken dat hij uniek is!

* * *

Verdiept in *Die Geburt der Tragödie* werd Elizabeth opge-
schrikt door gemorrel aan de kamerdeur.

'Liesbeth!'

Marianne. Ze was haar bestaan haast vergeten.

'Alles leidt ten slotte tot pathos, niet tot actie. Wat
geen voorbereiding is op die pathos, achtte Euripides
verwerpelijk.' Met haar lineaal duidde Elizabeth de
laatste regel aan en deed de deur open.

'Dag Marianne.'

Een dodelijk vermoeide Marianne bleef naast haar
zware reiszak in de deuropening staan. Alsof ze af-
scheid kwam nemen, kuste ze Elizabeth op de wang
en kwam binnen.

Het was onmogelijk de stapel boeken op het tafeltje
niet op te merken. 'Gij zijt precies goed bezig', zei
Marianne mat en liep naar haar bed toe, waarop ze
begon uit te pakken.

'Komt ge nu pas van huis?'

'Van de kliniek', corrigeerde Marianne, die haar lij-
dend gezicht in de reistas stak.

'En?' vroeg Elizabeth terwijl ze de helft van het tafelblad vrijmaakte. Marianne had immers na het weekend altijd karbonades en andere eenpansgerechten
in blik bij zich, die ze maniakaal ordelijk sorteerde.

'Afwachten', zei Marianne. Zuchtend zwaaide ze de
kastdeur open en stapelde onmiddellijk de conser-
ven op háár helft van de keukenplank. Elizabeth keek

vragend op. Met gebogen rug, alsof ze werd geslagen, bleef Marianne de inhoud van de kast schikken, zonder één woord. De blikken klikten droog tegen elkaar.

'Wat afwachten?' vroeg Elizabeth.

Samen met haar persoonlijke chocopot werden enkele achtergebleven kruimels fanatiek terug naar hun oorspronkelijke helft van de plank geschoven.

Alsof het mijn schuld is, dacht Elizabeth. Alsof ik het kan helpen dat haar moeder kanker heeft. Nu gaat ze bokken en moet ik de martelares haar mond openwringen.

Elizabeth opende haar boek en nam de draad weer op.

'Dat wat de toeschouwer meest hindert om zich vol genot aan zulke scènes over te geven is een ontbrekend deel, een gat in het weefsel van de voorgeschiedenis...'

'Nietzsche!' hoorde ze Marianne stilletjes smalen. 'Zegt dat het niet waar is!'

't Schaap moet zich ergens op afreageren, dacht Elizabeth, terwijl ze onverstoorbaar verder las.

Marianne, in de weer met schone kleren, ging lafhartig ruggelings in de aanval. 'Die onnozele zot. Geváárlijke zot nog wel... Waarmee dat hier allemaal zijn tijd zit te verdoen.'

'Zolang de toeschouwer nog bezig moet zijn met

wat deze of gene persoon betekent...'

'Een regelrechte fascist. Ge zult er ver mee komen!'

'...wat er ten grondslag ligt aan dit of dat conflict van neigingen en bedoelingen...'

'Een ordinaire psychopaat!'

'...zolang is het ademloos meegaan met het leed en de angst niet mogelijk.'

'Dat er nóg mensen zijn die zich daardoor laten vangen!'

'Marianne, da's hier niet mogelijk om te werken, met uw gezaag.'

'Werken?! Noemt gij dat werken!' grijnsde Marianne verachtelijk en sloeg de kleerkast dicht.

'Over werken gesproken, hebt ge uw tien vliegen al gevangen vandaag?' lachte Elizabeth treiterig. 'À propos, niet Marx maar de Japanezen zouden daarmee begonnen zijn, in de oorlog al.' Naar aanleiding van een artikel in het partijblad had Marianne vorige week een vurig pleidooi gehouden voor de nog door Mao zelf verordende dagelijkse vliegenvangst als revolutionair-ecologische oplossing voor het nijpend insectenprobleem. Elizabeth had zich bijna bepist van het lachen toen ze vroeg 'of die Bende van Vier ècht zo gewetenloos was geweest om die grote weldaad van de Grote Roerganger dood te zwijgen!?'

Marianne was met het laatste restje zelfbeheersing waar ze nog over beschikte naar buiten gestormd.

Maar nu liep ze niet weg; ze bleef als een zoutzak naast het tafeltje staan en glimlachte treurig.

'Liesbeth, die vent was kierewiet. Het is wetenschappelijk bewezen. En gij, met uw gezond verstand, zult dat rap genoeg doorhebben.'

'Welke vent?' grinnikte Elizabeth uitdagend. Marianne nam de andere stoel en schoof ongenood bij aan tafel.

'Ge wilt mij toch weer niet helpen zeker!' sneerde Elizabeth, die geen zin had in een zoveelste preek van de gelijkhebberige Marianne.

'Nee', fluisterde Marianne gesmoord. Met scheefgezakt hoofd bleef ze zitten, zodat het even leek of ze met Elizabeth meelas in *Die Geburt der Tragödie*. 'Maar misschien wilt gij mij helpen? Ik ben doodop, van heel 't weekeinde komedie te spelen. 'k Heb geen oog dichtgedaan.'

'Ik ook niet', antwoordde Elizabeth; niet slapen was nog geen excuus voor zoveel arrogantie.

Marianne nam haar bril af en duwde ongenadig met duim en wijsvinger in haar beide ogen. 'Als ge niet beter wist zoudt ge gedacht hebben dat er daar een of ander feest aan de gang was, in haar kamer, met al die bloemen en wijnflessen. Bijna heel ons familie zat daar. En ons ma, tegen alleman, iedere keer wéér haar verhaal doen. En lachen en kletsen onder mekaar, gelijk dat het maar voor de lol was, een borst kwijt zijn of een hap uit uw arm... Dat is toch niet mogelijk, denkt ge!'

Ze schoof de bril weer op haar neus en keek Elizabeth met kleiner wordende ogen aan. 'Maar binnen de kortste keren speelt ge dat spelletje mee. Want ge wilt het ook niet geloven dat er uitzaaiingen zullen zijn, omdat zij niet gelooft dat die er kunnen zijn, en omdat ze er zo verbazend goed uitziet. Met haar nieuwe, moderne mise-en-plis die de coiffeuse van 't hospitaal haar gelegd heeft. Zo vol levenslust heb ik mijn moeder sinds lang niet meer gezien. Mijn pa had haar een chique peignoir cadeau gedaan. Zelfs zonder kunt ge niets zien, zei ze, want ik ben nooit zwaar van borst geweest. Wel honderd keer. Na het bezoekuur zat bijna iedereen te schreien, alsof ze al dood was, en 's anderendaags was 't weeral kermis rond haar bed. Ge moet optimist zijn als patiënt, zeker als kankerpatiënt. Dus heel de familie maar gebaren hoe plezierig het is, van allemaal nog eens bijeen te zijn. Om zot van te worden.'

Marianne bleef uitgeblust naar het tafelblad staren.

'En 't is nog maar een begin... het gaat maanden duren...'

Elizabeth zuchtte. Marianne zuchtte ook.

'Wat gaat ge nu doen?' vroeg Elizabeth.

Marianne zuchtte slechts opnieuw.

'Ge gaat hier toch niet zitten wachten tot er metastasen opduiken zeker', zei ze niet onvriendelijk. 'Ge moet vooruit, Marianne!'

''k Weet het', zonder de minste overtuiging.

'Met hier te zitten kankeren is geen mens gediend, zeker uw moeder niet', porde Elizabeth haar vriendin wat ruw in de zij.

''k Heb ook veel aan u moeten denken,' zei Marianne zwak glimlachend, 'aan uw doorzettingsvermogen, uw energie...' Achter de brillenglazen begonnen haar ogen weer een beetje te stralen: 'Precies of dat gaf mij wat moed...'

Plots begon de wekker op Mariannes boekenplank zachtjes te rinkelen. Het was vijf uur. Elizabeth herinnerde zich haar afspraak met Yves. Even legde ze haar hand op Mariannes koude vingers. 'Marianneke, ge moet de afschuwelijkste verschrikkingen kunnen aanvaarden. Ook dat is het leven.' Ze drukte het knopje van de wekker in en hoopte dat Yves haar niet zou teleurstellen.

'En uw vader? Hoe gaat het nu met hem?'

'Goed', zei Elizabeth terwijl ze haar jas nam, om de indruk te wekken dat ze naar buiten ging. 'Ik moet er vandoor. Mag alles blijven liggen tot straks?' Ze zag haar vriendin kleintjes achter de stapels boeken zitten. 'Weet ge, Marianne, en ik heb het hier juist nog bij Nietzsche gelezen zie, dat de menselijke wil om te leven zich ook door te lijden manifesteert?

Daarin moet ge u schikken.'

Ze liep naar de deur, gooide met nauwelijks verholen binnenpret 'Zoniet wordt ge kierewiet' over haar schouder en sloot zacht de deur.

Marianne bleef verslagen achter.

* * *

Sinds ze in Gent woonde had Elizabeth haar baantje hard nodig. Het kindergeld, de studiebeurs en de aalmoes die ze van thuis toegestoken kreeg waren onvoldoende om in haar levensonderhoud te voorzien, terwijl de opbrengst van het cannabishandeltje dat ze in De Korenbloem wel niet echt gestart maar onmiskenbaar in goede banen had geleid, was weggevallen. Doordat ze haast nooit naar huis ging had ze het overzicht en de controle op gebruikers, afnemers en leveranciers verloren, en bijgevolg ook haar percentje. Had haar oma niet verteld dat het jonge volk – de relatief nieuwe biljarttafel ten spijt – sinds zij in Gent studeerde was beginnen weg te blijven? En dat Karel, de kleinzoon van Emiel van Paardekens' Sus en nog verre familie van Beauty zaliger, na zijn zoveelste mislukte jaar aan de Sociale School een heuse jongerenkroeg had geopend: De Opvang? Elizabeth treurde er niet om. Ze wilde met dat debiele boerengat waaruit ze kwam niets meer te maken hebben. De zin van haar leven lag hier, of elders, maar vast en zeker niet daar.

Haar nieuwe status als jobstudente gaf haar de mogelijkheid die vervelende colleges te ontlopen. Anderzijds zorgde ze toch af en toe voor een strategische acte de présence, zodat zelfs in een goedgevuld auditorium haar uitzonderlijke aanwezigheid niemand kon ontgaan. Elizabeth kende de professoren die haar herkenden, beter dan de altijd aanwezige suffe studenten.

Zelfs voor een stad als Gent was De Prof een vrij gerenommeerd café-snackbar. Met zijn semi-Engelse inrichting, nephout, bordeauxrode zitbanken en stemmige, niemand kwetsende achtergrondmuziek bedoeld voor studenten en burgers veeleer dan voor junks en freaks. Ook professoren konden hier al eens binnenwaaien of blijven plakken. Léon kende ze persoonlijk. Tenminste, hij wist vooruit wat ze zouden drinken en als ze eenmaal hun rug hadden gekeerd, diste hij een of andere smakelijke anekdote over hen op.

Vergeleken met thuis viel dat allemaal best mee, vond Elizabeth. Ze luisterde, keek, zag en hield zich op de vlakte.

Omdat ze in een publieke gelegenheid werkte, was het niet te vermijden dat haar regelmatig avances werden gemaakt, maar op één keer na was niemand ooit handtastelijk geworden.

Nadat hij een meer dan gezonde hoeveelheid gueuze had verzet omdat die hem, naar eigen zeggen, 'aan de uitgegiste smaak van sappige pruimen' deed denken, greep een haar onbekende hoogleraar Elizabeth ruggelings, vóór de toog, in haar kruis. Totaal verrast, in een reflex, haalde ze uit om hem een geweldige mep te verkopen. Maar hij bleef voorovergebogen staan en ze miste doel. 'Zo'n sappige pruim!' lachte hij vrolijk en liep, trefzeker als een broodnuchter man, naar de toiletten.

'Was dat die prof?' vroeg Elizabeth, wat ontdaan.

Léon deed geen moeite om zijn lachje te verbergen.

''k Zal u straks eens iets graafs over de vuile filoe vertellen...'

'Ja maar, krijg ik daar dan les van?' onderbrak ze Léon. Dan mocht ze 't wel wat diplomatischer aanpakken, als ze bij die vent ooit examens moest afleggen!

Léon had haar verzekerd dat hij niet in haar richting kwam en dat hij de slechtste nog niet was en dat haar hier, in De Prof, nog geen haartje op het hoofd gekrenkt zou worden. Op die ene avond na toen ze Kurt ontmoette, was hier inderdaad voor Elizabeth nog niets uitzonderlijks gebeurd.

* * *

Vanavond had ze op haar kamer willen zijn. Alleen met haar gedachten aan Nietzsche en Yves. Vooral aan Yves. Maar ze zag ertegenop om naar huis te gaan, ze vreesde Marianne daar achter het kleine tafeltje terug te vinden, precies zoals ze haar vanmiddag had achtergelaten. Stom dat ze geen boek had meegenomen voor ze naar Yves' kamer sloop. Dan had ze in plaats van gedurig aan hèm te denken, zich kunnen concentreren op Nietzsches grote gelijk.

Het bezoekje was nogal uitgelopen. Ze had zich moeten reppen om hier op tijd te zijn. Hoewel ze er zich niet te veel van had voorgesteld, of misschien juist dáárom, was het enorm meegevallen.

Ontsnapt aan Marianne, had ze voor alle zekerheid de voordeur laten dichtknallen voor ze stilletje terug naar zijn kamer trippelde en bescheiden aanklopte.

'Ja-a, kom maar!' had hij geroepen.

Hem noch zijn omgeving had ze dadelijk herkend. Fris geschoren, in een gewaagd kleurrijk hemd, zat hij op de kraaknette vloer – ze had ervan kunnen eten! – en draaide, naast J.J. Cale op de platendraaier, rustig een sigaretje.

'Zal ik de deur op slot doen?' fluisterde ze.

'Ja-a...'

Veel meer hadden ze niet gezegd.

Om haar gêne weg te steken was ze zich dadelijk beginnen uit te kleden. Hij was tegenover haar komen staan. Elke beweging van haar met zijn ogen volgend, trok hij langzaam zijn kleren uit om met een enorme erectie naakt voor haar te staan. Hij nam haar bij de hand en leidde haar naar zijn bed: een matras op de vloer. Hij ging liggen en reikte haar een broodmandje aan. Het lag vol condooms. Verschillend gekleurde pakjes en doosjes. Terwijl hij minutieus haar rug streelde, koos ze er een bekend sober vormpje uit, scheurde de verpakking en stak hem het rubbertje toe. Verbazingwekkend snel en vaardig schoof hij het dunne niemendalletje over zijn kolossale lid. Elizabeth ging naast hem liggen. Hij rook pittig, naar zweet en aftershave. Bij Kurt had ze alleen zichzelf geroken. Nu meende ze ook het rubber te ruiken en ineens gleed hij helemaal binnen in haar.

Drie identieke condooms heeft ze achtereenvolgens uit het mandje gevist. Zonder buitensporig geharrewar slaagde ze erin het laatste zelf over zijn penis te trekken. Heel eventjes koesterde ze de illusie dat ze door zouden gaan tot het hele broodmandje leeg was. Geheel onverwachts was ze door een orgasme overvallen en gelijktijdig beginnen te huilen, met haar hoofd in zijn hals, zonder verdriet. Dat ze kon schreien terwijl ze zich goed voelde!

Nu ze eraan terugdacht, verbaasde het haar opnieuw. Ze voelde zijn handen, zijn huid, zijn lippen en kende niet eens zijn achternaam, had hem zelfs nooit goed bekeken. Wie was hij, wat deed hij? Pol en Soc misschien? Wéér dacht ze aan zijn magistrale fluit, en verweet zichzelf dat ze geen eigen wil meer had. Zoiets is toch niet meer normaal?

Peinzend bracht ze pils naar een paar klanten en proefde Yves' mond. Ze liep met het geld naar de kassa en voelde onderwijl zijn stoten in haar...
'Dag mijn lief!'
Bijna zei ze 'dag Yves'.
Het was Kurt. Onvoorbereide en oningelichte Kurt die zaterdagochtend met zijn erectie naar huis was gerend om daar te lopen rondbazuinen dat hij op haar had gezeten.
'Een grote spaghetti met veel saus... en een beetje affectie voor uw uitgehongerde jongen', vervolgde hij op gedempter toon en gaf haar een kus. 'De keuken is gesloten,' zei Elizabeth lijzig, draaide zich om naar wat klanten, realiseerde zich dat die al waren bediend, keerde – zonder Kurt een blik te gunnen – op haar stappen terug en knoopte haar schort los.
'Ik stap maar eens op, Léon.'
Kurt stond haar verbouwereerd aan te staren. Die spaghetti van vorige week had hij toch veel later op

de avond nog wel gekregen?

Elizabeth liep naar de keuken om haar jas.

'Een spaghettietje. En wat wilt g'er bij drinken, maat?' vroeg Léon stroperig glimlachend.

'Tot morgen!' riep Elizabeth als naar gewoonte.

'À deux mains, Lisatjen!' zwaaide Léon en wendde zich weer naar de schone jongen.

'Laat maar zitten...' murmelde Kurt verward en snelde achter Elizabeth, die al de deur uit was, aan.

'Lisa! Wat is er? Waarom beziet ge mij niet meer? Wat heb ik gedaan?' riep hij alsmaar luider terwijl hij op haar hoogte kwam en naast haar meeliep, in de maat van haar passen. 'Zeg het mij! Zeg iets. Dat ik mij kan verdedigen. Waarom zijt ge kwaad op mij? Ik was in 't gedacht dat ge blij zoudt zijn om mij te zien... Als er iets gebeurd is, dan mag ik dat toch weten, zeker...'

Ze keek hem van opzij aan. Even maar, met een niets-ontziende vernietigende blik, waarna ze haar pas versnelde.

'Allez Lisa, ge weet toch dat ik het speciaal voor u uitgemaakt heb met Christine', kwam hij haar hijgend bijgebeend. 'Zeg toch iets! Alstublieft...' en hij nam haar energiek zwaaiende arm beet.

Plots stond ze stil.

'Stopt ermee!'

Ze stonden tegenover elkaar op de straathoek.

Hier moest ze oversteken, ze wilde hem niet mee.

Hij keek haar met een verwilderde blik aan en wacht-te.

'Kijkt. Er is feitelijk niets gebeurd,' zei ze rustig, 'niets dramatisch', verduidelijkte ze, iets tè geruststellend, meende ze aan de gulzige hunkering in zijn ogen te merken.

'Maar waarom...?'

Dan maar de korte pijn, dacht ze en zei: 'Feit is: wij passen niet bijeen.'

'Maar hoe kunt ge dat nu...?'

'Ik heb mij vergist', nam ze de verantwoordelijk-heid geheel voor eigen rekening.

'Dat weet ge toch niet, Lisa, dat kan...'

'Ik weet', zei ze beslist.

'Toe Lisa, we moeten het getweeën uitpraten...'

'Vaarwel', zei ze consequent en stak de straat over.

Gelukkig liep hij haar niet langer als een hond ach-terna.

Het is Christine, dacht hij, die is bij haar de oren van de kop gaan zagen en jammeren... Of ze heeft al een andere vrijer! De nymfomane! Zich laten neuken en overpalmen in duizelingwekkende standjes maar nooit van de grond komen... Hij zou Elizabeth een brief schrijven. Openlijk uitkomen voor zijn gevoe-lens. Proberen te verwoorden hoe hartsgrondig diep zij die had gekwetst. Van haar verantwoording eisen.

Hij moest en zou haar voor zich terugwinnen, dacht hij. Later, als hij eenmaal zichzelf had teruggevonden, zou het hem lukken.

Met bezwaard gemoed nam Kurt de tram, op weg naar Christine, in de hoop dat ze thuis was.

* * *

Elizabeth zat lusteloos meeschuddend op het boemeltreintje.

Terwijl Nietzsche in haar schoot lag, keek ze naar het schemerdonker buiten en zag zichzelf als een vage schim in het gras meeschuiven boven het spoor, tussen de holle bermen, door het stukje open veld, voorbij de tuintjes, rakelings langs de afgesleten achtergevels.

Ze had dan toch de laatste trein genomen. Thuis zouden ze blij verrast zijn. Elizabeth zuchtte en legde *Also sprach Zarathustra* onder het zakje ècht ambachtelijk bereide Gentse Mokken die ze als presentje – ter vergelijking met de fabriekskoeken thuis – had meegebracht.

Ze trok het nieuwe, hagelwitte jackje aan. Dat had ze woensdag gekocht. Het stond haar prachtig. Yves had er haar nog niet mee gezien. Hij had haar helemaal niet meer gezien sinds maandag.

Als enige stapte ze bij de kleine halte uit en wachtte

op het lege perron tot de trein was vertrokken om de sporen over te steken. Niet één keer was ze door Yves aan de telefoon geroepen. Zijn kamerdeur was dicht gebleven. Hij had niet geantwoord op haar herhaalde aankloppen. 's Avonds had ze geen hoop-gevend lichtstreepje onder zijn deur kunnen ontwa-ren.

Elizabeth zuchtte opnieuw. Niet alleen Mariannes gesnurk en gesnik had haar de voorbije nachten wakker gehouden (Marianne was bovendien sinds woensdag naar haar moeder). Het was die hunker in Elizabeths lijf die haar geen rust gunde. Waarom had hij niets gezegd? Geen briefje geschreven? Ze dacht vaak terug aan hun intieme ontmoeting, aan de uit-gebreide collectie in het broodmandje, en vroeg zich bezorgd af wat ze van hem mocht verwachten.

''t Doet 't doet 't is zij het toch zie!' riep een man in zijn deurgat plots luidkeels tegen zichzelf. 't Was Emiel van Paardekens' Sus. Ze had hem niet opgemerkt.

'Dag Liza! Hoe is 't in Gent?'

'Goed Miel, goed.'

'Allez, da's goed!' antwoordde hij niet minder en-thousiast en keek haar na voor hij naar de keuken liep om zijn vrouw te verwittigen dat hij eens tot aan 't oud kerkhof – zoals de in aanbouw zijnde so-ciale wijk werd genoemd – ging wandelen.

Hij was waarschijnlijk al naar huis gegaan, dacht Elizabeth. Alle studenten gaan met Pinksteren toch naar huis? Velen blijven er om te blokken. Nietzsche heeft weer eens gelijk. Pas bevrijd ben ik opnieuw geboeid door de ketenen der liefde: het cyclische van de geschiedenis. De eeuwige wederkeer. Elke voltooiing betekent een nieuw begin. En godweet waar begin ik nu weer aan?

Ze was het kerkplein overgestoken en zag de nieuwe, brede straat met aan weerszijden nog onbewoonde, kale woningen, plat als bordkarton. Er lag nog zavel, buizen en ander bouwafval in de voortuintjes, maar waarschijnlijk zou het niet lang meer duren eer de eerste verhuiswagens arriveerden.

Dit volk zal niet naar de Cambrinus of De Open Kring aan de Steenweg moeten, dacht Elizabeth onwille-keurig toen ze plots de verlichte vensters van café De Korenbloem in het donker zag schijnen. Deze nieuwe, nog naamloze straat leidde rechtstreeks naar hun café, alsof het erom gedaan was. Uit het open deurgat schalde de jukebox haar tegemoet. 'Heim-wee naar huis, ik heb zo'n heimwee naar huis...'

Daarbinnen heeft zich alvast geen metamorfose vol-trokken, constateerde Elizabeth en bleef, waar wel-licht een verkeersdrempel moest komen, staan om naar het oude hoekhuis te kijken. Daar had ze nu levenslang gewoond. Kende er bij wijze van spreken elke oneffen vloertegel, zonder ooit van op deze overzichtelijke afstand het huis als geheel te hebben gezien.

'Tot daar liep de muur van het kerkhof. Ge kunt het nog zien', zei ze tegen Yves, die in haar gedachten met haar meekeek.

'Bij Elvis en Maria' was stuntelig overschilderd, zag ze terwijl ze over de stoffige kinderkopjes liep, de schoongeschrobde stoep op, en in de deuropening bleef staan, bedremmeld. Waarom was ze nu al gekomen? Ze wilde hier niet zijn. Vergeten geluid, licht, geur van vroeger sloegen haar in alle heftigheid als een loden last in de nek. Wat haar het eerst in het oog sprong was een concrete, verblindende, gesofisticeerde rol-'wagen', waarop Wilfried, een kolossaal witmarmeren beeld, zijn kinnen op zijn borst, uitgedeind zat te slapen. Haar moeder Claire zat als altijd naast hem, verdiept in het kaartspel dat ze met Rita, Magda en garagist Werner speelde. Achter de mannen rond het biljart zag ze oma Maria, naast de tapkraan verdiept in *Het Rijk der Vrouw*, dat ze dicht bij haar ogen hield. Geen mens merkte Elizabeths aanwezigheid op.

Ze kon nog terug, dacht ze. Gewoon omdraaien en weggaan.

'Goeienavond!' schalde iemand in haar oor. Emiel. Hij had niet gehoopt het ogenblik van weerzien zelf te mogen orchestreren!

Maria keek op, zag haar kleindochter en liet in groeiende verrukking het blad zakken en op de toog vallen, om haar beide armen ten hemel te strekken.

'Liza!' schreeuwde ze tien keer zo luid als aan de telefoon.

Iedereen keek op.

'Jaja, 't is zij!' lachte Emiel apetrots naast Elizabeth.

Claire en Maria kwamen gelijktijdig op haar toege- lopen. Maria nam haar resoluut in de armen, drukte haar buitensporig aan haar zware boezem, 'Lizaatjen, mijn zoetjen, mijn engelken!', kuste haar wangen, wreef krachtig over haar rug alsof ze een versteven koud kind opwarmde. 'Mijn Lizaatjen, wat een ge- luk!'

'En schóón dat ge zijt!' riep Claire, die waar ze 't in weerwil van Maria's omvangrijke aanwezigheid kon, haar dochters jasje en rokje beroerde. 'Kijkt toch eens hoe schoon dat ze is!'

'Ge moogt dat bij mij ook eens doen, Maria!' gie- chelde Emiel en hij spreidde al gereed zijn armen.

'Gij ouwe zot!' antwoordde Maria en, hijgend on- der al haar geweldige vreugde, kriebelde ze hem even onder de oksels.

Claire kuste haar dochter drie keer op de wangen. ''k Heb een schoon cadeau gereedliggen voor u. Iets dat ge goed gaat kunnen gebruiken.'

''k Zou u ook komen embrasseren, maar 'k heb mijn armen al vol vrouwelijk schoon', riep Werner zelfbewust. Gelijktijdig sloeg hij een arm rond Rita en een rond Magda, zijn uitzonderlijk luxueuze situatie aldus etalerend.

'Chance', zei Elizabeth tussen neus en lippen.

'Gij moet braaf zijn, gij', zei Maria tegen hem. Werner liet zijn vrouwen los, maar kneep nog gauw eventjes in hun arm. Hij vrijde met beiden, dat was voor alle drie beter. Alleen Maria wilde er niet van weten. Magda en Rita lachten schalks.

'Mens, zo groot dat gij al zijt!' kakelde Rita, alsof Elizabeth nog een kind was dat in een half jaar groeien kon.

'Daaraan ziet ge dat ge oud wordt, aan een ander zijn kinderen.'

'Aan uw eigen kinderen ook.'

'Als ge eens in de spiegel kijkt, ziet ge dat zo ook wel.'

'Gij toch. Als ge uw bril op hebt.'

'En hoe is 't op d'universiteit, Liza?'

'Zijt ge nu al geleerd?'

'Z'is altijd de primus geweest. Dat heeft ze van geen vreemden.'

'...vlak bij de boekentoren, in een studio...'

'...de boekentoren?'

'Een studio, dat is gerieflijk.'

'Met zo'n diploma, wàt zijt ge dan feitelijk?'

'...in een of andere propere pizzeria...'

Ondanks het tumult in het café zat Wilfried nog steeds als een wassen afbeelding van zichzelf, een karikatuur van een langgestorven Elvis, ineengezakt op zijn blinkende troon.

'Wat mankeert hem?'

'Wie?' vroeg Claire. Elizabeth wees met haar hoofd in Wilfrieds richting.

'Hij mankeert niks', antwoordde haar moeder verwonderd. 'We hebben hem in 't nieuw gestoken. Met een elektrische motor en al. Die wordt goed gesoigneerd, ziet ge dat niet? Stukken van mensen kost dat, en niets kunnen afpitsen, van de ziekenbond...'

'Tournee générale op de komst van ons aller Elizabeth!' riep Maria gul. Elizabeth stond te midden van de drukte aan de toog en dronk een plat watertje. Ze keek naar Wilfried, die alleen achtergebleven aan het lege tafeltje zat, alsof hij knock-out was geslagen.

'Moet ge hèm niet verwittigen?' vroeg Werner, die Elizabeths blik gespannen volgde. '...haar pá?' benadrukte hij schel. Sinds hij Magda, met al haar kinderen en hun respectieve vaders, had veroverd, was hij de relativiteit van het vaderschap gaan inzien. Hij, kinderloze Werner, was niet alleen de man van Magda's leven, maar ook die van Rita, die wel niet van seks hield maar veel minder lelijk was dan Magda.

'Laat onze Wilfried gerust. De jongen is afgeprost', zei Maria bestraffend. 'Wat peinst ge wel, die zware bronchitis heeft hem toch zo wreed afgehaald.'

'Op de terugkeer van de verloren dochter: santé!' straalde Emiel, alsof hij persoonlijk dit grootse evenement had verwezenlijkt.

'Afgeprost!' lispelde Werner in Rita's oor, 'van heelder dagen te maffen!' Onderwijl kneep hij stiekem in Magda's kont en bedacht dat hij zich straks, als hij met haar bezig was, eens zou inbeelden dat Magda Elizabeth was.

* * *

Elizabeth ontwaakte in haar oude kamer.

Ze had verbazend lang en heerlijk geslapen. Waarschijnlijk omdat het hier zo rustig was. Ze probeerde zich nog wat te koesteren aan de herinnering van haar droom. In een kartonnen doos, in lauw klotsend water, zat ze, helemaal bloot. De zon scheen op haar hoofd. Toen ze uit de doos keek, zag ze dat iemand haar op zijn rug droeg. In zijn mond bungelde een zelfgerold sigaretje. Hij neuriede een nummer van J.J. Cale, 'call on me'. Het was Yves die haar moeiteloos met zich meedroeg.

De zon scheen door het dakraam naar binnen, het moest al middag zijn. Met uitzondering van de twee schedels die ze naar Gent had meegenomen, was hier niets verplaatst of veranderd. Terwijl ze zich aankleedde, hoorde ze de stemmen van haar moeder en grootmoeder beneden.

Gelukkig heb ik de halve dag al verslapen, dacht ze, vanavond ga ik terug naar Gent, of vanmiddag al. Ze liep de trap af.

'Daar is ze zie, ons Elizabetje!' hoorde ze Maria aankondigen, nog voor ze de keuken binnenkwam. Gedrieën verzameld rond de feestelijk gedekte tafel hadden ze geduldig op haar gewacht.

'Goeiemorgen!' zei ze opgewekt.

'Goeiemorgen!' repliceerden de vrouwen in koor.

Wilfried zat als een pafferige witte clown in zijn spiksplinternieuwe stoel aan het hoofd van de tafel. Automatisch ging er als vanouds een lichtje in zijn ogen twinkelen toen hij haar zag.

'Eeee...eeh...eeh...' glimlachte hij met scheve mond.

'Hier is ze zie!' straalde Maria ten overvloede. 'Onze student. Goeie-morgen-E-li-za-beth!'

'Eeh...eeh...eeh...' bleef Wilfried hakkelen. Het kostte hem zichtbaar moeite: hij kreeg enige kleur op zijn lijkbleke wangen.

'Jaja, 't is heel goed, Wilfriedje', zei Maria en ze kneep even geruststellend in zijn hand en corrigeerde het puntje van zijn grote hoge kraag, dat de neiging had slap te vallen. 'Rustig jongen...'

'Hij mag niet geëxciteerd geraken, zijn hart ligt in 't vet', zei ze nadrukkelijk gewichtig tegen Elizabeth, die was gaan zitten en vermeed Wilfrieds opgeblazen gezicht aan te kijken.

'Eén ei of twee, Liza?' vroeg Claire.

'Geen, 'k heb niet veel honger. Een sneetje rozijnenbrood is genoeg.'

Maria schonk eerst koffie in de plastic beker van Wilfried, zo kon die wat afkoelen. Ze keek haar kleindochter onderzoekend aan. 'Ge zijt precies toch vermagerd.'

'Maar nee.'

'Hoeveel weegt ge nu?'

''t Zelfde van altijd.'

'Er mag toch gerust wat bij,' viel Claire haar moeder gretig bij, 'gij zijt bijkans vel over been.'

'Wat hier niet van iederéén kan gezegd worden!' lachte Elizabeth.

Ze voelde Wilfrieds starende blik. Toch had ze het niet op hem gemunt.

'Zijt content dat het niet uw aanleg is om van de lucht te verzwaren', zei Claire, die in afwachting van de eitjes een beetje crème uit een boule kneep.

Elizabeth blééf de blik van Wilfried voelen. Toch keek ze niet terug. Ze wilde hem niet viseren. Ze vond hem zielig, lelijk, compassie wekkend. Ze durfde hem niet aankijken, eigenlijk.

Maria sneed een croissant in hapklare brokken en drapeerde een sponshanddoek over zijn borst. ''t Is toch wreed hé,' zuchtte ze luid, 'voor Miel van Paardekens' Sus. Zijn vrouw ligt nu weer met een gebroken heup, haar derde al, en nu die kleinzoon – eet gij maar één sneetje? Pakt u nog eentje, Liza – hoe heet hij?... Kareltje. Z'hebben hem betrapt op drugs. Cocaïne. Hij kwam er mee van Holland – nog een beetje koffie? – om in zijn café te verkopen – pas op, er hangt een druppel aan uw tas, voor uw schoon vestje. Wie had dat nu gedacht, van zo'n brave jongen! Ge hebt toch mensen die nooit chance hebben hé!'

'En hoe is 't nu feitelijk op d'universiteit?' vroeg Claire plots op de man af.

'Goed, ma.'

'Jamaar, ge gaat er toch door zijn zeker! Ge zegt dat zo gemakkelijk, van jaja en dat 't goed gaat, maar wat weet ik daarmee? Verstand hebben is niet genoeg, ge moet ook kunnen werken!' repliceerde Claire, de schaal van haar volgende ei vinnig met haar lepel bewerkend.

'Clairke, ons Liza heeft veel capaciteiten.'

'Maar z'heeft van heel haar leven nog geen stro ver-
legd!'

'Allez allez, en ge zijt zo blij dat z'hier is en nu gaat
ge een beetje ruzie stoken...'

'Ik ben niet van zin haar bek te blijven openhouden
tot 't einde der tijden!' slingerde Claire haar moeder
in het gezicht.

'Ik heb toch mijn job, ma, en mijn beurs.'

'En van u heb ik nooit d'occasie gehad om te studeren!' schreeuwde Claire, om onaanwijsbare reden
ineens over haar toeren, tegen haar moeder.

Ze schoof het halfvolle bordje van zich weg, sloeg
haar handen voor haar gezicht en begon piepend te
snikken.

'Kind toch...' suste Maria, 'begint daar nu weer niet
over. Dat was toentertijd toch geen gewoonte lijk
nu, dat studeren hé? Ge hebt daar toch nooit zelf aan
gedacht?' En ze maakte aanstalten om op haar ge-
voelige dochter toe te stappen, om haar te troosten.
Maar nog voor ze zich van haar stoel had gehesen,
was Claire al weggevlucht, de trap op.

'Trek het u niet aan!' fluisterde ze nog snel tegen
Elizabeth, voor ze achter haar dochter aan naar boven stommelde.

'Home sweet home', grinnikte Elizabeth, met een
half oog naar Wilfried kijkend, en dan gauw weer

weg. Dat gênante loeren van hem! Wat heeft die nu ineens, dacht ze. Tijdens het geëscaleerde huiselijk tafereeltje was zijn aandacht niet één ogenblik verslapt. Elizabeth griste het eerste het beste *Zondagnieuws* van de slordige stapel tijdschriften op de dichtgeklapte stikmachine... Zozo, volgens Joe Harris wordt ene Crissie de nieuwe Vlaamse Barbara Streisand... Angstvallig vermeed ze haar stiefvader aan te kijken. Een stevig gebouwd meisje in onderjurk, likkend aan een veelkleurige ijslolly: de toekomstige vedette, Joe Harris' schoonzusje.

Ze hoorde Wilfrieds zware ademhaling naast haar, en boven het gerommel van de vrouwen. Even naar de hersengymnastiek op de laatste pagina kijken... In drie seconden snappen deze drie vogels ieder een vlieg. Hoeveel tijd hebben honderd vogels nodig om honderd vliegen binnen te happen?

(drie seconden natuurlijk)

'Ich wiw nie meew wewen...' sprak Wilfried toen. Elizabeth vergat dat ze hem niet durfde aan te kijken.

'Wat?' vroeg ze, hoewel ze hem duidelijk had verstaan. 'Wat zegt ge?', hoewel ze hem goed had begrepen.

Ontdaan keek ze naar hem. Die rare glinstering zat nog steeds in zijn ogen en deed er het groen oplich-

69

ten, trots, leek het wel.

'...God...' fluisterde ze klankloos terwijl hij haar blik vasthield. Lang. Ondraaglijk lang duurde het voor ze de drie identieke vogeltjes zag aanfladderen op de opengeslagen pagina van het weekblad. Alle drie hadden ze kinderlijk grote ogen en wijd opengesperde snaveltjes, waarmee ze immobiel achter de drie veel te grote vliegen bleven aanzitten. Elizabeth voelde het bloed wegtrekken uit haar hoofd, uit haar handen...

'Hewph mmwij...' hoorde ze hem zeggen, of dacht ze dat maar? Dacht ze nog wel?

'Surprise!' bulderde Maria in het deurgat.

Achter haar rug stak Claire, met roodbeschreide ogen, een groot pak in de hoogte.

'Maar wat is dat hier?' voegde ze er bij het zien van de lijkbleke Elizabeth onmiddellijk gealarmeerd aan toe.

'Ik kan 't al peinzen!' Met overdreven gefronste wenkbrauwen keek Maria gemaakt kwaad naar Wilfried die met zijn vreemde glimlach voor zich uit zat te staren: 'Gij weer, hé deugniet! 'k Had nog zo gezegd dat ge niet mocht neuten! Dat verdoet hier zijn beste dagen met lamenteren! Maar mijn zoetje toch, ge zijt er precies van onder de voet...'

''t Is niets', zei Elizabeth en keek hulpeloos naar Wilfried.

Hij staarde vredig voor zich uit, met zijn groene ogen. 'Gij s'enfouteur!' ging Maria met opgestoken wijsvinger verder, 'en zeggen dat wij zoveel voor u over hebben, dat wij allemaal u zo gaarne zien!'

'Ge zoudt beter een liedje zingen, sloeber', viel Claire haar moeder vrolijk bij. 'Gelijk vroeger, want 't is vandaag feest.' Ze gaf het mooie pak aan haar verbaasde dochter. 'Iets dat ge goed gaat kunnen gebruiken.'

Claire ging popelend achter de rolstoel, over Wilfrieds schouder staan meekijken hoe haar dochter het geschenk openmaakte, alsof ze zelf niet wist wat erin stak.

'En 't is echt leer!' zei Maria.

'Sshuuut...' gebaarde Claire.

Toen zag Elizabeth wat het was: een afschuwelijk dure, kalfslederen boekentas in de vorm van een echt paardenzadel. 'Voor op d'universiteit', lichtte haar moeder bereidwillig toe.

* * *

Het was al over tweeën toen het copieuze middagmaal was afgelopen. Maria had voorgesteld om voor de koffie-met-gebak een ommetje te maken met z'n allen. Maar Wilfried, die uitzonderlijk niet zat te dutten, had met één vinger te verstaan gegeven dat hij een keer met Elizabeth alleen wilde wandelen. 'Haha, de stille duiker trekt er liever alléén met de jonge meiskes van onder!' had Maria goedmoedig gelachen. Ze wilden hem dat klein pleziertje niet ontzeggen. Het deed hem zichtbaar goed bij haar te zijn, en zij was tenslotte zijn dochter.

Elizabeth was blij even verlost te zijn van het ononderbroken getater van de twee vrouwen; dan nog liever de stille Wilfried met de blik op oneindig, vond ze.

Vanwege zijn nog niet volledig genezen bronchiën hadden ze hem overdreven dik ingeduffeld. Aan Elizabeth hadden ze omstandig de simpele bediening van het paneel met de enkele knopjes uitgelegd, zo hij de controle over 'het machien' zou verliezen, en meermaals drie gemakkelijke wandelroutes uitgestippeld, zodat ze een halfuur later weer thuis konden zijn voor de taart. Ten slotte stonden Maria en Claire hen uitgebreid op de stoep na te wuiven, alsof ze een reis om de wereld gingen ondernemen.

Het was heerlijk warm in de zon. Elizabeth trok haar jas uit en hing hem over de rugleuning van de rolstoel, die ze niet hoefde te duwen. Zacht zoemend snorde hij onder haar handen vooruit.

Yves. Ik hoop dat ge er zijt als ik thuiskom, dacht ze. Plots wijzigde Wilfried nogal bruusk de koers van zijn wagen, waardoor ze bijna struikelde. Hij stopte even, maakte een onduidelijk gebaar met zijn goeie arm en tufte rustig verder. Elizabeth ging veiligheidshalve naast hem lopen. Hij leidde hen rustig verder, weg uit het dorp. Het was prettig lopen. Geen auto in de omtrek. Ze konden op de rijweg wandelen en zagen de eerste (en laatste) velden en akkers van het dorp voor zich liggen. Hier en daar een rij populieren. De zon gaf het geheel een feestelijk cachet. Het leek alsof Wilfried neuriede. Een vreemd geluidje steeg boven zijn kar uit. Misschien was dat het gespin van de motor.

Hier wil ik met u komen wandelen, Yves, dacht Elizabeth. Ik ben van de buiten en ik heb nog nooit in het koren gevrijd.

Voor een open plek aan het talud van de spoorlijn hield Wilfried halt. Aan een paaltje in de grond hing een bord met 'Bouwgrond Te Koop'. Hier stonden vroeger nog huizen. Elizabeth wist dat Wilfried er had gewoond voor hij bij hen introk.

Hij bleef lang naar die lege plek kijken. Toch was er niets te zien. 'Gaan we verder?' vroeg Elizabeth ongeduldig. Er kwam geen beweging in de wielen. Alsof hij iets verwachtte, bleef Wilfried, het hoofd aandachtig opgeheven, roerloos zitten.

'Of keren we terug?'

Heel in de verte hoorde ze een trein naderen, zacht-jes. Toen wist ze waarop hij wachtte. 'Hoort de vogelkes fluiten,' hoorde ze zichzelf zeggen terwijl ze voor hem in het gras knielde, 'Wilfried? Gaan we naar huis?', onnodig luid, om het aanzwellend ge-luid van de trein te bezweren. Een bel begon plots schril te schellen.

Bedachtzaam draaide hij zijn stoel, en nog steeds met scheve mond en glinsterende ogen glimlachend, reed hij rustig naar de overweg, de direct van 15.35 uur naar Oudenaarde tegemoet.

Elizabeth liep hem met nietsziende ogen achterna.

Langzaam ging de slagboom naar beneden. Wilfried wist precies hoeveel tijd hij had en wachtte rustig op het juiste moment.

Elizabeth stond achter hem, haar armen verlamd langs haar lichaam, dat niets meer deed of dacht, maar slechts daverde.

Met zijn kolossale, rechte rug manoeuvreerde Wil-fried de rolstoel behendig langs de ene korte slag-boom om op het goeie spoor te staan. Onmiddellijk begon de trein afgrijselijk huilend te remmen, als een zotgedraaide sirene, om horendol van te wor-den.

Nawoord

Dit verhaal is het derde deel van een drieluik over de jonge heldin Elizabeth.

Vaderloos opgevoed door haar moeder Claire en grootmoeder Maria, in de rijkelijk deprimerende omgeving van hun volkscafé 't Heilig Kasseiken, raakt Elizabeth er vast van overtuigd dat alles waarop zij haar zinnen zet, alles wat zij aanpakt, tot een goed einde zal komen. 'Ook al peinst ge dat ge met uw rug tegen de muur staat, al denkt ge tot over uw oren in de stront te zitten, zolang ge in uzelf gelooft en trouw blijft aan u eigen, blijft ge groeien!'

Hoewel de licht ironische titels **Een** vader voor Elizabeth, **De** vader van Elizabeth, **Geen** vader voor Elizabeth/Geboeid door liefde herkenbaar verwijzen naar typische meisjesboeken-reeksen (cfr. Veel geluk Annelies, Kop op Tinneke etc.) moge het duidelijk zijn dat iedere verdere vergelijking daar ook ophoudt. Zo zal, bijvoorbeeld, Elizabeth **niet vervolgd** worden; maar voor wie inmiddels werd geboeid door liefde wil ik over Elizabeth en haar stiefvader graag nog wat kwijt. **Wat voorafging**: Als vrank-gebekte zesjarige vindt Elizabeth het in 't geheel niet erg dat ze geen vader heeft. De een na de andere aangeschoten klant fluistert haar van achter zijn pint gekscherend toe dat hij haar vader is, om haar kernachtige reactie te horen ('Niet waar. Ik heb geen papa. Ge kunt de pot op.') maar vooral om dat ze een oogje hebben laten vallen op haar aantrekkelijke moeder. Er waren kandidaat-vaders te over, zo-dat Elizabeth in gedachten kon kiezen en, beter nog, fantaseren.

Massa's uitzonderlijke vaders had ze, en van niet één kreeg ze slaag. Tot Claire, na een kortstondige affaire met de plaatselijke garagist, verliefd wordt op de stille eenzaat Wilfried, die bij de overweg een tweedehandszaakje heeft, en wiens liefste wens het is Elizabeths zorgzame vader te mogen worden. Uitgerekend op het verlovingsfeest maakt Wilfried een ongelukkige val die hem, halfzijdig verlamd in een rolstoel, geheel overlevert aan de verstikkende bemoedering van moeder Claire en grootmoeder Maria. Dik geworden door zijn handicap lijkt hij nu nog sprekender op zijn inmiddels overleden idool Elvis. Deze 'mossel', 'lamme', 'tamme' of 'zeveraar' — zoals Elizabeth hem noemt — wordt haar opgedrongen als vader; en Elizabeth beseft dat indien dit stuk ongeluk goed genoeg is om voor haar verwekker door te gaan, haar moeder de identiteit van haar echte vader koste wat het kost geheim wil houden. Totaal verrast komt Elizabeth er- achter dat haar ontstaan het gevolg is van een onuitwisbare in- cestueuze misstap. Dan pas ziet ze zich genoodzaakt de leugen, dat Wilfried haar vader is, te aanvaarden om, samen met haar moeder en grootmoeder, de vreselijke familieschande voor altijd geheim te houden.

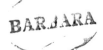